Alva O'Dea

Withdrawn from Stock
Dublin City Public Libraries

Mama Amelie und das Welpenchaos

Mama Amelie and the Puppy Chaos

mit Illustrationen von

Katharina Kubisch

Eine lustige Geschichte in Reimen!

Für Marlie, Ryan und Dave.
AOD

Dieses Buch ist auch als einsprachige Ausgabe erhältlich:

Deutsch 978-3-939619-41-3

1. Auflage
© TALISA Kinderbuch-Verlag, Langenhagen 2014

Alle Rechte vorbehalten.

Projektleitung, Desktop Publishing:
Aylin Keller

Gesamtherstellung: fgb, Freiburg

Printed in Germany
www.talisa-verlag.de

ISBN 978-3-939619-42-0

Alva O'Dea stammt aus Irland und lebt inzwischen mit ihrer eigenen zweisprachigen Familie in Lüneburg.
Die studierte Sozialpädagogin war viele Jahre in der Kinder- und Jugendarbeit sowie in der Organisation von EU-Austauschprogrammen in Deutschland und Irland tätig. Schon während ihrer Kindheit hat sie leidenschaftlich gerne gereimt. Die zweifache Mutter schreibt ihre humorvollen Texte auf Deutsch und auch auf Englisch.

Mit jedem Bild eine kleine Geschichte erzählen und dabei eine neue Welt erschaffen – das findet die Hamburger Illustratorin **Katharina Kubisch** an ihrer Arbeit wunderbar. Bereits im Kindergarten zeichnete sie ihre ersten Geschichten, seitdem hat sie Block und Farben selten aus der Hand gelegt. Die studierte Kulturwissenschaftlerin und ausgebildete Grafikerin entwickelt ihre Bilder mit Bleistift, Tusche und Aquarell.
Sie illustriert Bücher, Spiele und Lehrmaterial – am liebsten für kleine Leser mit großer Fantasie.

Auf dem Hof sehr früh am Morgen,
macht sich Mama Amelie Sorgen.
Zehn süße Welpen sind wunderbar.
Aber ganz alleine, wie kommt sie klar?

On the farmyard at the break of dawn,
Mama Amelie lets out a yawn.
Ten sweet puppies, wonderful and new.
But she's all alone, what will she do?

Dublin City Public Libraries

Baden, füttern, einkaufen geh'n,
den Kleinen nachlaufen, von Eins bis Zehn.
Kochen und putzen – das schafft sie nie!
Oh, arme Mama Amelie!

Bathing, feeding, shopping then,
while chasing after one-to-ten,
cooking and cleaning, deary me!
Oh, poor Mama Amelie!

Die Sonne geht auf, die Vögelchen singen.
Womit soll sie denn nur beginnen?
Es ist zuviel Arbeit für sie allein.
Sind ihre Freunde denn daheim?

As the sun rises, the first birds sing.
She worries where she should begin.
It's too much work for her alone.
She wonders if her friends are home.

„Opa Hase, bitte hilf mir doch!
Du warst schon immer der beste Koch.
Meine zehn Welpen hielten mich wach.
Ich bin müde und fühl' mich schwach."

*'Grandpa Hare, please come and look.
You've always been the greatest cook.
With ten new pups, I'm tired out.
I need some help without a doubt.'*

„Ruh' dich aus, ich kriege das hin",
sagt Opa Hase mit Doppelkinn.
„Ich kaufe ein, doch kann's nicht tragen,
da muss ich Nachbar Eddy fragen."

'You have a rest, let me begin'
says Grandpa Hare with double chin.
'I will shop but cannot carry it.
Neighbour Eddy is much more fit.'

Eddy, der Esel, hat Rastalocken,
Wanderstiefel und gestreifte Socken.
Mit einem Korb auf jeder Seite,
stolziert der Starke und Gescheite.

Eddy the donkey, has dreadlocks,
walking boots and stripy socks.
He's got a basket on either side,
proud as punch he struts his stride.

EDDY

Eins, Zwei, Drei, Vier, Fünf, Sechs, Sieben,
Acht, Neun, Zehn ins Körbchen schieben.
Als sie dann zum Laden schwingen,
fängt Eddy fröhlich an zu singen:

One, two, three, four, five and six,
seven, eight, nine, ten up he picks.
Off to the shop they skip along,
as Eddy starts a happy song:

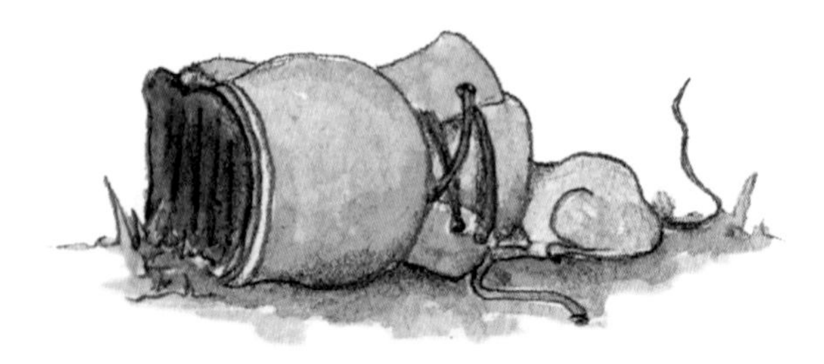

Wuffie
Duffie
Dadl
Fluffie
Flo
Ruffie
Gruffie
Dudl
Muffie

„Wuffie, Duffie, Dadl, Fluffie und Flo,
Ruffie, Gruffie, Dudl, Muffie und Jo.
Rufst du einen, kommen zehn,
weil sie sich so gut versteh'n!"

*'Wuffie, Duffie, Dadl, Fluffie and Flo,
Ruffie, Gruffie, Dudl, Muffie and Jo.
Just call one and ten will come,
because they're having so much fun!'*

Jo

Singend, kichernd erreichen sie den Laden.
Eddy mit den Welpen ist schwer beladen.
Jetzt holt er einen Einkaufswagen,
er kann unmöglich noch mehr tragen.

Singing, giggling they reach the shop.
Eddy, laden down with pups, can stop.
Now he grabs a trolley at the door.
He's much too tired to carry more.

Eins, Zwei, Drei, Vier, Fünf am Schieben,
rasend, hüpfend folgen Sechs und Sieben.
Acht, Neun, Zehn nicht aufzufinden!
Wie konnten sie so schnell verschwinden?

*One, two, three, four, five are pushing,
six and seven jumping, rushing.
Eight, nine, ten, as Eddy feared,
have completely disappeared!*

Wen sehen wir dort im Kühlregal?
Vier freche Welpen! Katastrophal!
Sie schnipsen Erbsen überall hin,
zum Ärger der Kassiererin.

In the freezer, who's that we see?
Four cheeky pups! A catastrophe!
They're flicking peas around the place.
The cashier shows her angry face.

PIZZA
2,50
3,50
2,49

Butter und Mehl auf allem verschmiert,
Regale werden neu sortiert.
Dosen fallen, Flaschen krachen,
das ist wirklich nicht zum Lachen!

Butter and flour smeared everywhere,
messing up shelves without a care.
Cans are falling, bottles shatter.
This really is no laughing matter!

Inzwischen sind auch die anderen weg.
Sie kicken mit Obst – ach, welch ein Schreck!
Die Kasse liegt mitten im Fußballfeld,
auf den Boden fliegt das ganze Geld.

Meanwhile the other pups have run.
They're kicking fruit! What have they done?
The cash till is lying on the ground
with money flying all around.

Gejagt werden Kunden durch den Gang,
mit Joghurt beworfen vor Überschwang.
So ein Chaos gab es hier noch nie.
Oh, arme Mama Amelie!

Customers chased, running down the aisle,
splashed with yoghurt all the while.
Such chaos here for all to see.
Oh, poor Mama Amelie!

Leabharlanna Poibli Chathair Baile Átha Cliath
Dublin City Public Libraries

CHE

Der Chef hat alles mitgehört.
Der Krach hat seinen Schlaf gestört.
Er schimpft: „Schämt euch! So eine Schande!"
Plötzlich herrscht Stille um die Welpenbande.

The boss appears in his sleeping cap.
Loud noise had spoiled his midday nap.
He shouts: 'Disgraceful, shame on you!'
All is now quiet around the puppy crew.

Eddy ist eigentlich immer entspannt.
Für seine Eselsgeduld ist er bekannt.
Aber jetzt sagt er: „Hey Leute! Das reicht.
Hören wir eine Entschuldigung vielleicht?"

Eddy, a "cool as a cucumber" bloke,
famously patient, today doesn't joke.
'Hey Buddies! Enough. Once and for all.
Will we hear a "Sorry"? It's your call.'

Zehn Welpen winseln: „Es tut uns leid!"
'Nie wieder!' lautet der gemeinsame Eid.
Sogar der Chef denkt irgendwann,
dass so etwas doch mal passieren kann.

'We are very sorry!,' whimper all ten.
They clearly swear "Never again!"
Even the boss thinks when puppies play,
maybe things can go astray!"

„Ich verstehe ja Spaß – für gewöhnlich –
und fühle mich heute irgendwie versöhnlich.
Unterstützung möchten wir Amelie geben,
jede Mama braucht mal Hilfe im Leben."

He says, 'I am usually up for fun
and will forgive what the pups have done.
Every Mama needs a helping hand.
Let's tell Amelie we understand.'

„Sie soll wissen, wir sind für sie da.
Wie wäre ein Fest für die Welpenschar?“
Opa Hase und Eddy laden dazu alle ein.
'Gemeinsam sind wir stark' soll das Motto sein!

'She should know, we're here for her now.
With a party we could show her how.'
Grandpa Hare and Eddy invite everyone along.
The motto will be: "Together we're strong!"

Dann füllen sie den Einkaufswagen
mit Leckereien für jeden Magen.
Eddy sagt: „Iiihh-aaahh, ey, voll krass,
ein Welpenfest, wie cool ist das?!"

Then they fill the trolley up
with treats for every guest and pup.
Eddy says, 'Eeh-aww, how cool is that!
A Puppy-Party, that's where it's at!'

Eins, Zwei, Drei, Vier, Fünf, Sechs, Sieben,
Acht, Neun, Zehn ins Körbchen schieben.
Und als sie dann nach Hause schwingen,
fängt Eddy wieder an zu singen:

„Wuffie, Duffie, Dadl, Fluffie und Flo,
Ruffie, Gruffie, Dudl, Muffie und Jo.
Rufst du einen, kommen zehn,
weil sie sich so gut versteh'n!“

One, two, three, four, five and six,
seven, eight, nine, ten up he picks.
Off home again, they skip along,
as always Eddy has a song:

'Wuffie, Duffie, Dadl, Fluffie and Flo,
Ruffie, Gruffie, Dudl, Muffie and Jo.
Just call one and ten will come
because they're having so much fun.'

1
2
3
4
5
6
7
8
9
10

Die Freunde erscheinen am Tag darauf.
Das Welpenfest nimmt seinen Lauf.
Es gibt Eintopf, Kuchen und Götterspeise.
Die Welpen sind brav – erfreulicherweise!

The next day all the friends turn up
to celebrate every single pup.
There's jelly, cake and Irish Stew
and the pups are good as gold too.

PART

Ein schöneres Fest gab es hier noch nie. Oh, stolze Mama Amelie!

The greatest party you ever did see. Oh, proud Mama Amelie!

Leabharlanna Poibli Chathair Baile Átha Cliath

Dublin City Public Libraries